Spis treści

Szkoła

Szkoła pani Matusowej
głośne w świecie ma przymioty,
uczęszczają do niej wszystkie
dobrze wychowane koty.

Już to sam nieboszczyk Matus
był wybornym pedagogiem
i prowadził przez lat wiele
znaną pensję „Pod Batogiem".

Kot to był uczony wielce:
a siadywał na zapiecku,
pomrukując sobie z cicha
po łacinie i po grecku.

Osierocił wszakże szkołę
i zostawił żonę wdowę,
gospodarną, zabiegliwą,
jejmość panią Matusową.

Dziecięca klasyka
MARIA KONOPNICKA

SZKOLNE PRZYGODY
PIMPUSIA SADEŁKO

ILUSTRACJE:
KAROLINA ROSOŁEK

wydawnictwo
SBM

© Copyright SBM, Warszawa

Wydanie I

Ilustracje, skład i przygotowanie do druku: Karolina Rosołek

Redakcja: Joanna Dziejowska

Druk i oprawa: TZG ZAPOLEX Toruń

Wydawnictwo SBM

www.sbmarketing.pl

Szkoła dalej szła swym trybem,
tylko znak jej „Pod Batogiem"
usunięty został ze drzwi,
a zrobiony: „Kot z Pierogiem".

Łatwo pojąć, jak ta zmiana
rozszerzyła pensji sławę,
młode kotki na naukę
biegły jakby na zabawę.

Jedna matka synka wiodła,
druga swą córeczkę małą
byle każde z pensji godła
choć kruszynkę skorzystało.

Nic milszego bowiem dziatki,
jak kot pięknie wychowany,
taki, jak go tu widzicie,
nad miseczką od śmietany.

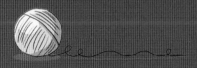

Szczęście rodzinne

Żyli sobie wtedy w mieście,
imci państwo Sadełkowie,
którzy mieli jedynaka,
cudo-kotka, co się zowie!

„PIMPUŚ" było mu na imię,
skóra szara w żółte łaty.
Cały dzień na rękach siedział
to u mamy, to u taty.

Rano, wieczór pan Sadełko
jedynaka brał pod boki,
mile sobie przyśpiewując
wyprawiali różne skoki.

A pieścili, a chuchali,
a broń Boże do roboty!
Zawsze tylko: „Mój ty skarbie!
Mój ty srebrny! Mój ty złoty!"

O, nic nie ma piękniejszego
nad rodzinne, błogie życie!
Słodycz jego i rozkosze
na obrazku tym widzicie.

Szybko biegną miłe chwile.
Czas przemija lotem ptaka...
Nie ma rady! Trzeba zacząć
wychowanie jedynaka.

Pimpuś wyrósł jak na drożdżach,
ale w głowie – same psoty.
W jego wieku dawno siedzą
nad książkami inne koty.

Tak więc państwo Sadełkowie
rozstają się z dzieckiem drogim
i oddają we łzach synka
na naukę „Pod Pierogiem".

Lekcja tańca

Ledwie Pimpuś wszedł do szkoły,
wnet usłyszał skoczne dźwięki,
właśnie brały lekcję tańca
i panicze, i panienki.

Pierwszy Filuś, z białym gorsem
wdzięcznie ujął się pod boki
i podniósłszy lewą nóżkę
śmiało daje sus szeroki.

Przy nim śliczna Kizia-Mizia
w żółtej szarfie, w wielkiej kryzie,
w sukieneczce tańczy białej...
Czy widzicie Kizię-Mizię?

Za nią hasa Łupiskórka,
tancerz znany z swej ochoty,
celujący uczeń szkoły,
co wyprzedził wszystkie koty.

Dalej Lizuś i Trojaczek
trzymają się za pazurki,
naśladując żwawo skoki
wybornego Łupiskórki.

Z uwielbieniem i zazdrością
patrzy na to Pimpuś z dala.
Rad by także ciąć hołubce,
lecz brak stroju nie pozwala.

Wnet też pani Matusowa
wstążkę wiąże mu u głowy
i u pasa zręcznie spina
półgarnitur nankinowy.

Miauknął Pimpuś zachwycony
tak przedziwną toaletą
i do tańca zaraz staje
z piękną panną Sofinetą.

Sofinetka z wdziękiem, wodzi
spuszczonymi w dół oczyma,
a że jeszcze jest nieduża,
więc łapeczkę w buzi trzyma.

Pimpuś omal z garnituru
i ze skóry nie wyskoczy;
przy muzyce idzie kociej
do wieczora bal ochoczy.

Kot nie może być niezgrabnym
jakby niedźwiedź jaki bury...
Gdyby ruszyć się nie umiał,
któż by łowił myszy, szczury?

Rozstanie

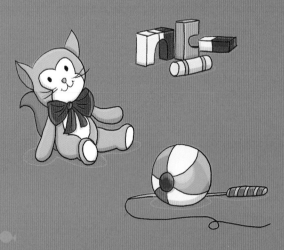

Uściskany, opłakany,
na progu, i za progiem,
został Pimpuś pensjonarzem
sławnej szkoły „Pod Pierogiem".

Zrazu żal mu nieco było
żegnać tatę, żegnać mamę;
popłakiwał nawet sobie,
gdy zamknięto za nim bramę.

Lecz się wkrótce rozweselił,
na wysokim siadłszy stołku,
gdy zobaczył pełen talerz
smakołyków na podołku.

Mama – kotka mu kupiła,
tato – biczyk i piłeczkę,
więc choć łza się zakręciła,
to, ot, tylko tak... troszeczkę.

Ale państwo Sadełkowie,
ci utulić się nie mogą
i miłego jedynaka
opłakują idąc drogą.

Już im z oczu znika szkoła
z ogrodzeniem swym zielonym,
a to on, to ona staje,
by zamachać choć ogonem.

Tak ów żeglarz, gdy na łodzi
Od miłego brzegu płynie,
Chustką na znak wieje białą
Przyjaciołom i rodzinie.

O, nie wiedzą tego dziatki,
jaka po nich pustka głucha,
gdy do próżnej wszedłszy chatki,
matka staje, patrzy, słucha...

Słucha wiatru, co przelata,
Po szerokim wiejąc świecie...
Czy jej wieści nie przynosi?
Czy nie tęskni miłe dziecię?

Późno w nocy siedzi, duma
na samotnej chaty progu,
aż w opiekę odda świętą
oddalone dziecię Bogu.

Marsz z kuchni

Zjadłszy swoje specyjały
oblizał się nasz kocina
i rzekł: „Jakoś ta nauka
wcale nieźle się zaczyna.

Chwalić Boga, że rodzice
do takiej mnie dali szkoły,
gdzie prócz tańca i jedzenia
obce inne są mozoły.

Muszę tylko do spiżarni
i do kuchni poznać drogę,
a najpierwszym uczniem w szkole,
na mój honor, zostać mogę!"

Jakoż dobrał sobie Pimpuś
kompanijkę tęgich kotów
i wyprawił się do kuchni
na naukę dalszą gotów.

Biegną jeden przez drugiego
i dalejże do kucharki:
„A, dzień dobry, pani Piętka!
Przyszliśmy tu zajrzeć w garnki!"

Pani Piętka z wałkiem stała
przy stolnicy pełnej ciasta.
A była to popędliwa
i niemłoda już niewiasta.

Jak zobaczy owe koty,
jak nie krzyknie na nich z góry:
„A, leniuchy! A, niecnoty!
A marsz z kuchni w mysie dziury!"

Jaki taki, bliższy proga,
umknął zręcznie przed pogonią,
a zaś reszta się spotkała
z pani Piętki twardą dłonią.

Płacze Kizia, Sofinetka,
płacze Pimpuś nasz uczony.
I ze wstydem się wynoszą
pospuszczawszy w dół ogony.

Katastrofa

Trudno sobie wyobrazić
coś milszego od tej sali,
w której malcy z „Pod Pieroga"
obiad co dzień zajadali.

Okno było tam weneckie,
co na ogród się odmyka,
książek pełno, a na ścianie
portret męża nieboszczyka.

A pośrodku stół ogromny,
osiem nakryć na nim leży,
przy nim stoi wielki fotel
i krzesełka dla młodzieży.

Dobra pani Matusowa
na fotelu zwykle siada
w białym czepcu, w okularach
i paniątkom jeść nakłada.

A ze ściany mąż nieboszczyk
na siedzących patrzy z dala
i wąsami, zda się, rusza,
zda się, grozi lub pochwala.

O, niejeden już tam przeszedł
obiad smaczny i wesoły,
kiedy Pimpuś, nasz bohater,
„Pod Pierogiem" wszedł do szkoły.

Serce mocno mu zabiło,
gdy zobaczył wielką salę;
a miał właśnie żółtą kurtkę
i wyglądał doskonale.

„No, siadajcie, drogie dzieci! –
rzecze pani Matusowa.
Tylko cicho się sprawiajcie,
bo mnie dzisiaj boli głowa".

Siadły kotki, milcząc jedzą,
ten, to ów języczkiem chłepcze,
a tak cicho, że dosłyszy,
co tam w kątku myszka szepcze.

Ale Pimpuś ten miał zwyczaj,
że kołysał się na stołku.
Raz i drugi rzecze pani:
„Przestań, proszę, mój aniołku!"

Pimpuś zerka na nią z boku,
potem chwilkę siedzi cicho,
aż znów bujać się zaczyna,
tak go kusi jakieś licho.

Trącają go łokciem kotki,
że to brzydko, że nieładnie...
„A przestańże! – woła pani.
Bo ci jeszcze stołek padnie!"

Ledwie słów tych domówiła,
Rrrrym!... jak długi Pimpuś leży,
za nim obrus, za obrusem
grad miseczek i talerzy...

Korzystają z chwili koty,
gwałt się robi niesłychany...
Groźnie patrzy mąż nieboszczyk
i wąsami rusza z ściany...

Pimpuś, w obrus owinięty,
z miejsca ruszyć się nie może,
co się dźwignie, to ze stołu
lecą za nim łyżki, noże...

Lizuś chwyta kubek z miodem.
Łupiskórka mu wydziera.
Filuś cały na stół włazi
i łapkami sos wybiera.

Pani iskry lecą z oczu,
nie wie, co w tym robić piekle...
Kizia drze się wniebogłosy,
a Trojaczek miauczy wściekle.

Jedna tylko Sofinetka
z śmiechem rzecze: „Już powiadam,
że najgorsze te chłopaki
z całej szkoły, proszę Madam!"

18

I spokojnie, jak przystało
dla uczącej się panienki,
siedzi sobie, tylko ogon
jej wygląda spod sukienki.

Jedno drapie, drugie bije,
pełno krzyku, pisku, wrzasku,
trudno nawet opowiedzieć
i przedstawić na obrazku.

Bijatyka

Po wieczerzy do łóżeczek
cała poszła spać drużyna;
ale z Filem psotnik Pimpuś
bijatykę rozpoczyna.

Spadła kołdra i pierzynka,
lecą jaśki w różne strony,
Filuś upadł na podłogę,
poduszeczką przywalony.

Reszta kotków, hyc!... na ziemię
i do figlów... hejże dalej!
Pościągali prześcieradła,
całą pościel pościągali.

Wtem ze świecą wchodzi pani...
„Co za rwetes? Co za krzyki?
A do łóżka! Spać mi zaraz!
No, czekajcie, swawolniki!...

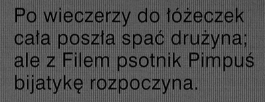

Jak tam poszła cała sprawa,
jak się wszystko to skończyło,
o tym nawet, drogie dzieci,
i wspominać mi niemiło.

Tyle tylko wam opowiem,
że nazajutrz przez dzień cały
kotki wody nanosiły,
prześcieradła prać musiały.

A największy figlarz, Pimpuś,
bez mundurka dla pokuty,
od samego musiał rana
wszystkim kotkom czyścić buty.

Pimpuś buty czyści

Głos
Gdzie te nóżki chodziły,
co te butki zrosiły?

Chór
A, mój miły panie,
chodziły po łanie.
A na łanie stoi rosa
w majowe zaranie!

Głos
Gdzie te nóżki chodziły,
co te butki zrosiły?

C h ó r
Chodziły po łące,
goniły zające.
A na łące trawka młoda
i kwiatki pachnące!

G ł o s
Gdzie te nóżki chodziły,
co te butki zrosiły?

C h ó r
Chodziły na pole,
na tę czarną rolę,
deptały tam krasne maczki
i modre kąkole!

23

List

Usiadł Pimpuś z piórem w łapce,
chcąc rodzicom donieść w liście
o żałosnych swych przygodach,
i tak pisze zamaszyście:

> „Droga Mamo! Drogi Tato!
> Bardzo mi tu źle jest w szkole
> Jeżeli mnie Tato kocha,
> to do domu wrócić wolę!

Jeść tu dają bardzo mało,
dokazywać – ani trocha,
proszę przysłać mi ciasteczek,
jeżeli mnie Mamcia kocha!

> Mało serce mi nie pęknie,
> że się muszę żegnać z Wami!
> Kochający Pimpuś" Tu się
> nasz kocina zalał łzami.

I niewiele myśląc włazi
w trzewik męża nieboszczyka
i wspomniawszy dom rodzinny
gorzko płacząc, łzy połyka.

W noska

O wy, latka młodociane!
O dziecięcy wieku błogi!
Jakie krótkie są twe żale,
twoje smutki, twoje trwogi!

Nie tak szybko w letni ranek
srebrna rosa schnie na kwiecie,
jak te łezki brylantowe
w modrych oczach twoich, dziecię!

I nie z takim chmurkę w maju
rozdmuchuje wiatr pośpiechem,
jak na liczku twym rumianym
znika smutek przed uśmiechem.

Chwilki życia na twym niebie
złotą mienią się obręczą.
Dusza twoja to obłoczek
malowany śliczną tęczą!

Tak i kotki z „Pod Pieroga"
dnia trzeciego zapomniały
o tej burzy, co wieczorem
szkolny gmach wstrząsnęła cały.

Jako znika cień o wschodzie,
tak zniknęła w sercach troska,
a prześliczna Kizia-Mizia
grę prowadzi, zwaną „w noska"

Gra ta, bardzo znakomita,
na tym, dziatki me, polega,
że się kotek kotka chwyta
i po całym domu biega.

Chwytać trzeba za obróżkę,
a kto jej na szyi nie ma,
tego się za nosek bierze
i w pazurkach mocno trzyma.

Pimpuś śmiałek

Już dawno mówią o tym:
„Żyją z sobą jak pies z kotem"
Ale Pimpuś nie dowierzał
i przymierzał.

Skoro tylko psa gdzie zoczy,
to podejdzie, to uskoczy,
ale z drogi mu nie schodzi
pan dobrodziej!

Jeden, drugi kundys krzepki
ani dbał o te zaczepki;
psu nie honor bić się z kotem.
Co mu po tym?

Przestrzegały inne koty:
„Porzuć, Pimpuś, swoje psoty,
bo się kiedy tak zahaczysz,
że... zobaczysz!"

Ale Pimpuś, harda sztuka,
z psami wciąż zaczepki szuka
i po nosie – trzep ich z boku...
Psy... już w skoku!

Już dobrały się do skóry...
„Aj, aj! – wrzeszczy Pimpuś – Gbury!
Toż od takiej znajomości
bolą kości!..."

A psy na to: „To nauka!
Znajdzie guza, kto go szuka...
A za taką awanturę biorą
w skórę!"

29

Postanowienie

W nocy lament... Co takiego?
A to Pimpuś miauczy srodze.
Kawał futra brak na grzbiecie,
po psich zębach znak na nodze...

Wstaje pani Matusowa:
kataplazmy, szarpie, plastry...
„Ach, już nigdy – stękał Pimpuś
– nie zaczepię psiej hałastry".

Całą noc biegały koty,
ten z miseczką, ten ze świecą...
aż nad ranem ledwo Pimpuś
obwiązany usnął nieco.

Długie potem przyszły chwile
rozmyślania i niemocy.
Nieraz Pimpuś i zapłakał
w swym łóżeczku siedząc w nocy.

„Ach! Cóżem ja, nieszczęśliwy,
najlepszego zrobił w świecie!
Jakże teraz się rodzicom
pokażę z tą łatą w grzbiecie!...

Ach! Czekają oni ze mnie
i pociechy, i podpory...
A ja, próżniak niegodziwy,
cóżem zrobił do tej pory?

Drogi Tato! Droga Mamo!
Miły domku mój rodzinny!
Już ja teraz się poprawię
i zupełnie będę inny!"

Przebacz, przebacz, drogi Tato!
Błogosław mi, Mamo droga!
Wasz jedynak teraz będzie
Pierwszym uczniem z „Pod Pieroga"!

Czy dotrzyma Pimpuś słowa,
o to ja się już nie boję!
Któż by ojca, matkę drogą
chciał zasmucić, dziatki moje?